PATTERNS

매스티안

팩토슐레 Math Lv. ③ 시리즈 소개

수 (NUMBERS)

[학습목표] 1부터 50까지의 수를 알 수 있습니다.

교재 ＋ 교구를 활용한 APP 학습

도형 (SHAPES)

[학습목표] 다양한 모양의 ○, △, □ 등을 알 수 있습니다.

교재 ＋ 교구를 활용한 APP 학습

연산 (OPERATIONS)

[학습목표] 받아올림이 없는 덧셈과 뺄셈을 할 수 있습니다.

교재 ＋ 교구를 활용한 APP 학습

측정 (MEASUREMENT)

[학습목표] 시계, 무게, 길이, 넓이 등을 알 수 있습니다.

교재 ＋ 교구를 활용한 APP 학습

규칙 (PATTERNS)

[학습목표] 다양한 규칙을 찾을 수 있습니다.

교재 ＋ 교구를 활용한 APP 학습

문제해결력 (PROBLEM SOLVING)

[학습목표] 다양한 유형의 문제를 해결할 수 있습니다.

교재 ＋ 교구를 활용한 APP 학습

팩토슐레 Math Lv. 3 교재 소개

" 우리 아이 첫 수학도 창의력을 키우는 **FACTO**와 함께! "

팩토슐레는 처음 수학을 시작하는 유아를 위한 창의사고력 전문 program입니다.

팩토슐레는 만들기, 게임, 색칠하기, 붙임딱지 붙이기 등의 다양한 수학 활동을 하면서 스스로 수학 개념을 알 수 있도록 구성되어 있습니다.

※팩토슐레는 6권으로 구성되어 있으며, 각 권은 30가지의 재미있는 활동을 수록하고 있습니다.

누리과정

팩토슐레는 누리과정 · 초등수학과정을 연계하여, 수학의 5대 영역(수와 연산, 공간과 도형, 측정, 규칙, 문제해결력)을 균형있게 학습할 수 있도록 하였습니다.
특히 가장 중요한 수와 연산은 각 권으로 구성하여 깊이 있는 학습이 가능하도록 하였습니다.

STEAM PLAY MATH

팩토슐레는 4, 5, 6세 연령별로 학습할 수 있도록 설계한 놀이 수학입니다.
매일매일 놀이하듯 자르고, 붙이고, 색칠하며 재미있는 30가지의 활동을 통해 창의사고력을 기를 수 있습니다.

동화책풍의 친근한 그림

팩토슐레는 동화책풍의 그림들을 수록하여 아이들이 수학을 더욱 친근하게 느끼며 좋아할 수 있도록 하였습니다. 또한 한글을 최소화하고 학습 내용을 직관적으로 이해할 수 있도록 하였습니다.

팩토슐레 Math Lv. 3 교구·App 소개

" 수학 교육 분야 증강현실(AR)과 사물인식(OR) 기술을
국내 최초 도입 "

교구를 활용한 App 학습 프로세스

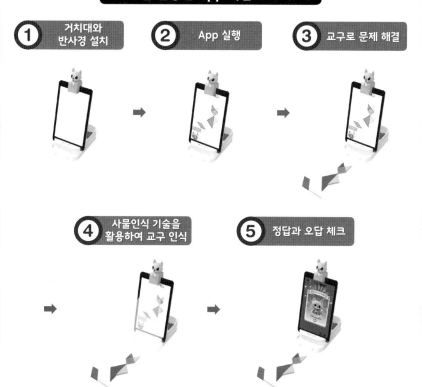

① 거치대와 반사경 설치
② App 실행
③ 교구로 문제 해결
④ 사물인식 기술을 활용하여 교구 인식
⑤ 정답과 오답 체크

자기주도학습 　팩토슐레 App만의 장점

팩토슐레 App은 사물인식(OR) 기술을 사용하여 아이들의 학습 정보를 습득한 후, App에 프로그래밍된 학습도우미를 통하여 아이들이 문제 푸는 것을 힘들어하거나 틀릴 경우에는 힌트를 제공합니다.
이와 같은 방식의 스마트기기와의 상호작용은 학습의 효율을 높이고 자기주도학습 능력을 길러 줍니다.

완벽한 학습 설계 App 　다른 교육 App과의 차별점

팩토슐레 App은 수학 교육 목표에 맞게 완벽한 학습 설계가 되어 있습니다. 아이들은 게임 기반의 학습 App을 진행하면서 어려운 문제도 술술 풀 수 있습니다.

증강현실(AR) 기술 도입

팩토슐레 App은 아이들이 캐릭터와 사진도 찍고, 자신이 그린 그림으로 자기만의 쿠키도 만들면서 학습 몰입도를 높일 수 있습니다.

꽃밭 사이로 나비들이 날아다니고 있어요. 손도장을 찍어 **꽃**과 **나비**를 그려 보세요.

꽃 그리기

나비 그리기

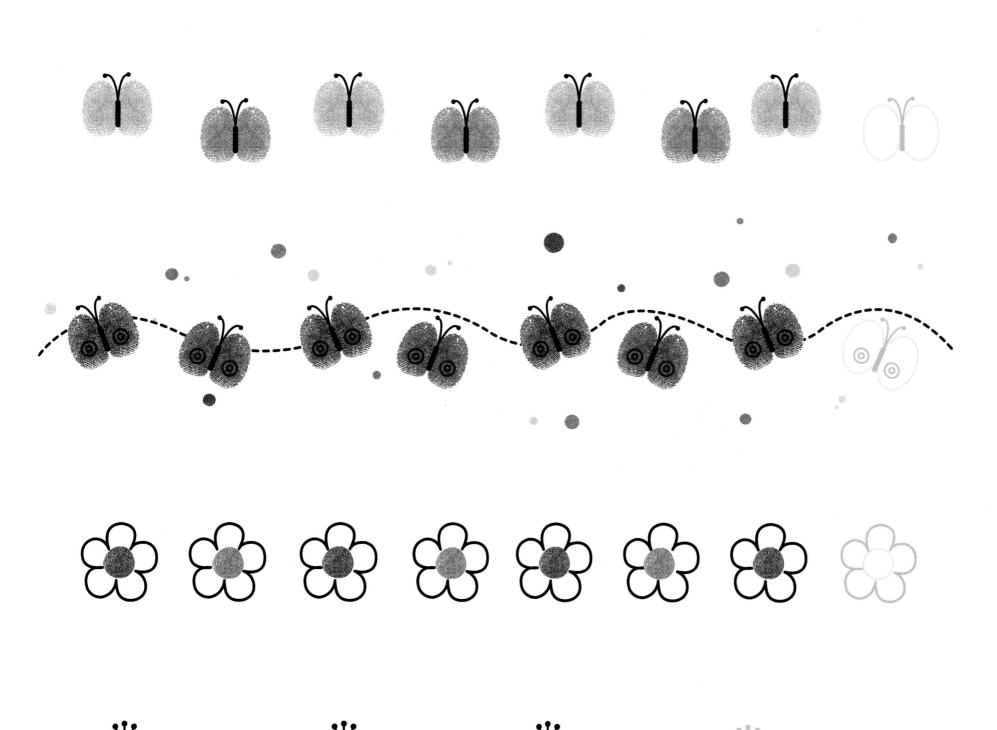

첫 번째 그림을 A, 두 번째 그림을 B라 할 때, **AB/AB/AB/AB**의 순서로 **색깔**이 변하는 규칙입니다.

빗방울이 떨어지고 있어요. 강아지도 빗물 위를 총총총 걷고 있네요.
손도장을 찍어 **빗방울**을 그려 보세요.

규칙 찾아 손도장 찍기!

첫 번째 색을 A, 두 번째 색을 B라 할 때, **AB/AB/AB/AB**의 순서로 **색깔**이 변하는 규칙입니다.

03 작은 연못에서 개구리와 올챙이가 사이좋게 헤엄치고 있어요.
손도장을 찍어 **개구리와 올챙이**를 그려 보세요.

개구리 그리기

1 2 3

올챙이 그리기

1 2

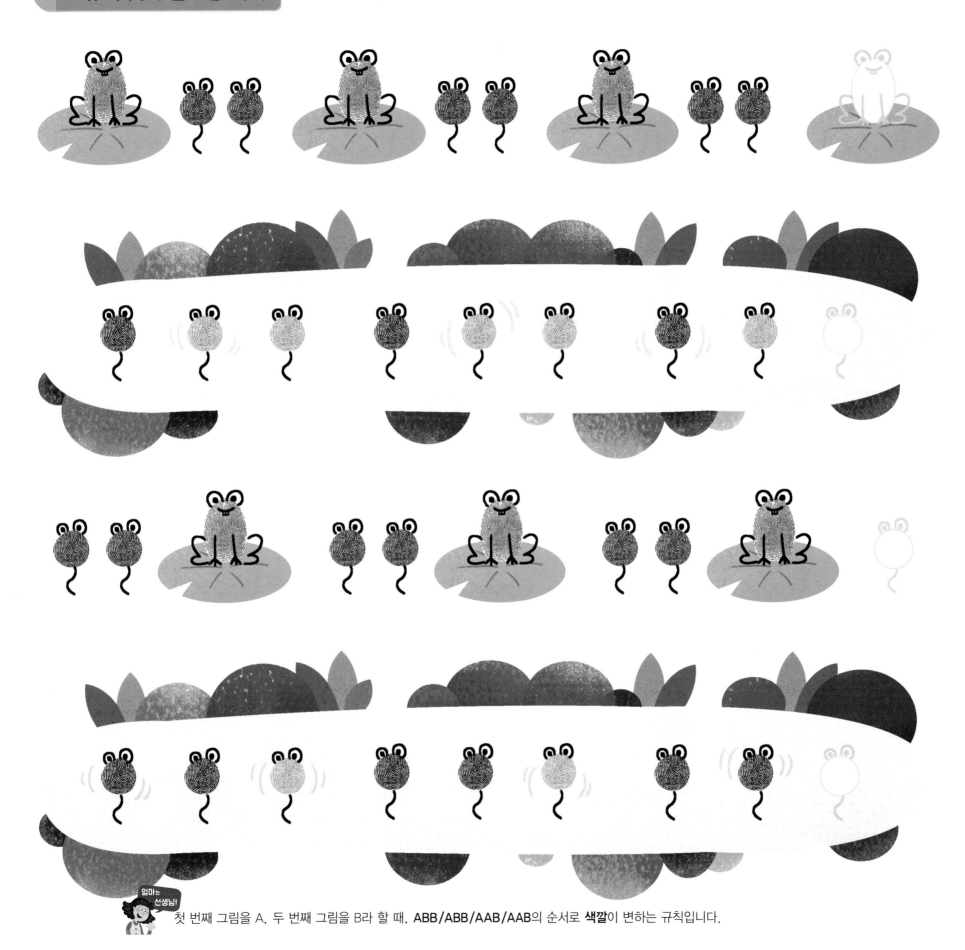

첫 번째 그림을 A, 두 번째 그림을 B라 할 때, ABB/ABB/AAB/AAB의 순서로 **색깔**이 변하는 규칙입니다.

나뭇잎 사이 커다란 거미줄에서 크고 작은 거미들이 즐겁게 놀고 있어요.
손도장을 찍어 **거미**를 그려 보세요.

거미 그리기

1   2   3

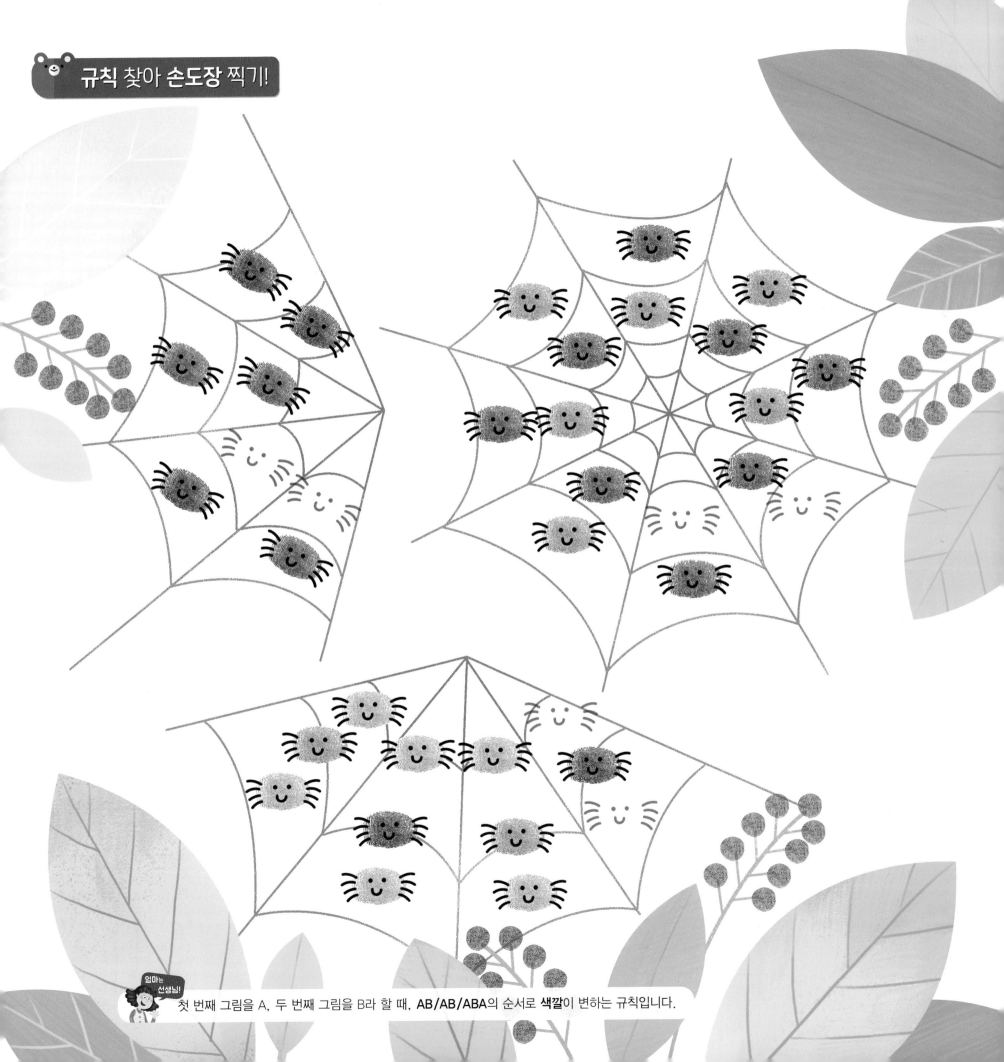

첫 번째 그림을 A, 두 번째 그림을 B라 할 때, **AB/AB/ABA**의 순서로 **색깔**이 변하는 규칙입니다.

05 동물원이에요. 우리 안에 사자가 누워 있고, 웅덩이 안에는 코끼리가 있어요.
손도장을 찍어 **사자**와 **코끼리**를 그려 보세요.

사자 그리기

1 2 3

코끼리 그리기

1 2 3

엄마는 선생님! 첫 번째, 두 번째, 세 번째 색을 각각 A, B, C라 할 때, 왼쪽에서 오른쪽으로 가면서 **ABA/ABBA/ABA**의 순서로 **색깔**이 변하는 규칙입니다.

06 병아리는 닭을 쫓아 아장아장 걸어 다니고 돼지들은 꿀꿀꿀 산책을 하네요.
손도장을 찍어 **병아리**와 **돼지**를 그려 보세요.

병아리 그리기

1   2   3

돼지 그리기

1   2   3

 첫 번째 그림을 A, 두 번째 그림을 B, 세 번째 그림을 C라 할 때, **AB/AAB/ABB/ABC**의 순서로 **색깔**과 **개수**가 변하는 규칙입니다.

07 바닷속에서 여러 모양의 물고기와 문어들이 헤엄치고 있어요. 조개와 해초들도 보이네요.
손도장을 찍어 **문어**와 **물고기**를 그려 보세요.

문어 그리기

1   2   3

물고기 그리기

1   2

첫 번째 색을 A, 두 번째 색을 B라 할 때, **AB/AB/AABB/AABB**의 순서로 **색깔**이 변하는 규칙입니다.

08 헬리콥터가 날아가고 있어요. 커다란 풍선을 매단 기구들도 둥실둥실 떠다니고 있네요.
손도장을 찍어 **기구**와 **헬리콥터**를 그려 보세요.

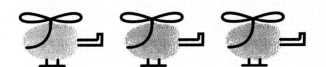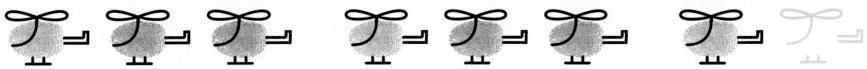

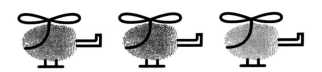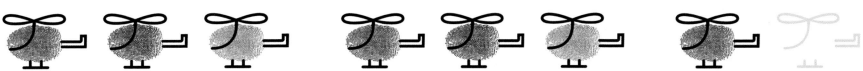

귀여운 판다들이 동물원 우리에 옹기종이 모여서 놀고 있어요.
손도장을 찍어 **판다**의 얼굴을 완성해 보세요.

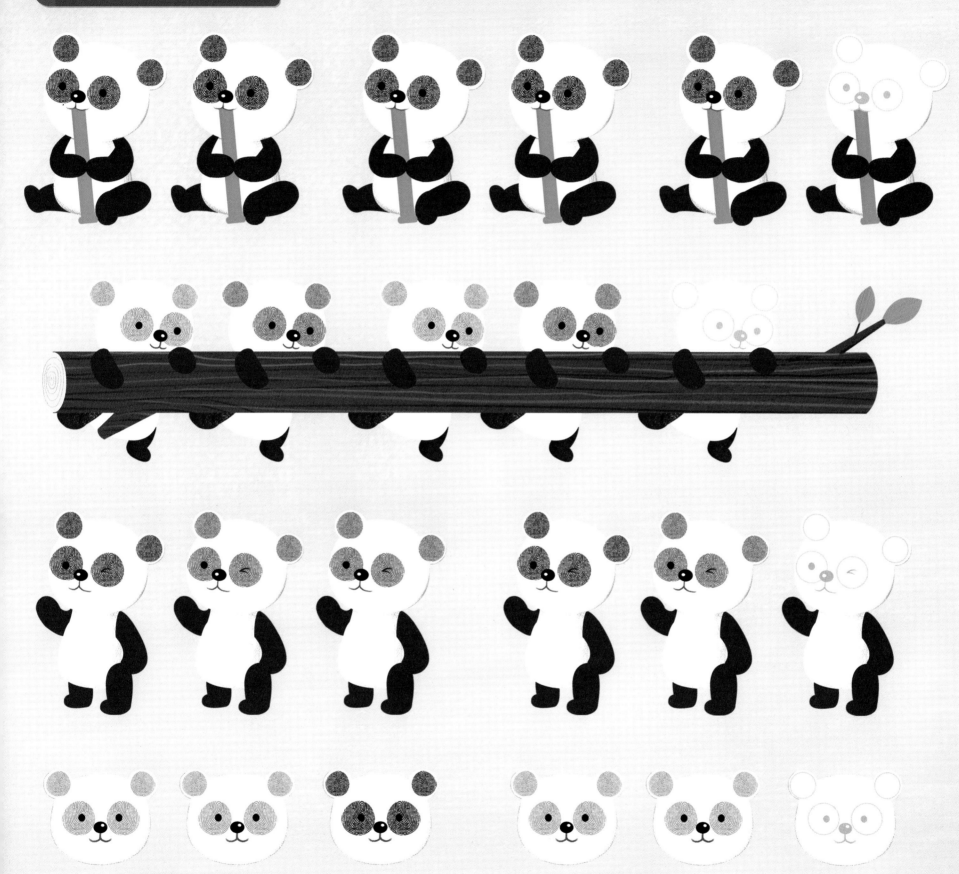

첫 번째 그림을 A, 두 번째 그림을 B라 할 때, **AB/AB/ABB/AAB**의 순서로 **색깔**이 변하는 규칙입니다.

10 숲속 풀밭에 애벌레가 기어가고 있어요. 두더지도 땅속에서 빼꼼히 고개를 내밀고 있네요.
손도장을 찍어 애벌레를 그려 보세요.

애벌레 그리기

1 2 3

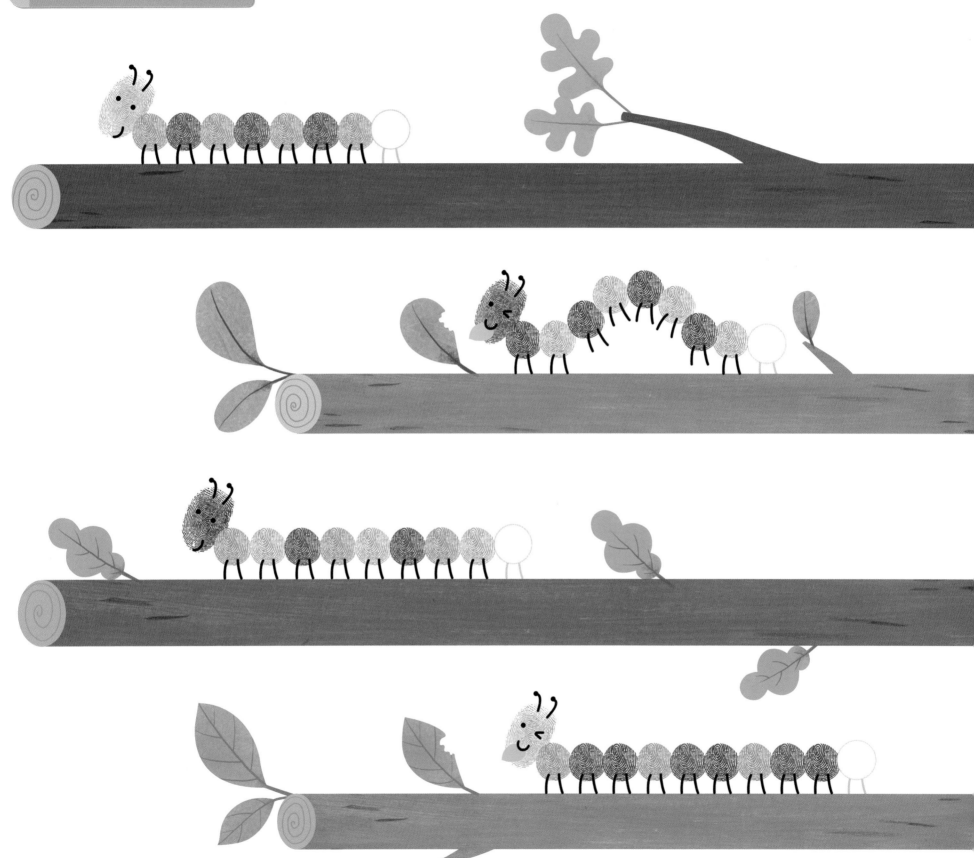

첫 번째 색을 A, 두 번째 색을 B, 세 번째 색을 C라 할 때, **AB/AB/ABC/ABC**의 순서로 **색깔**이 변하는 규칙입니다.

11

화창한 날이에요. 무당벌레와 매미가 나무에 앉아서 노래를 부르고 있어요.
손도장을 찍어 무당벌레와 매미를 그려 보세요.

 무당벌레 그리기

1 　2 　3

 매미 그리기

1 　2 　3

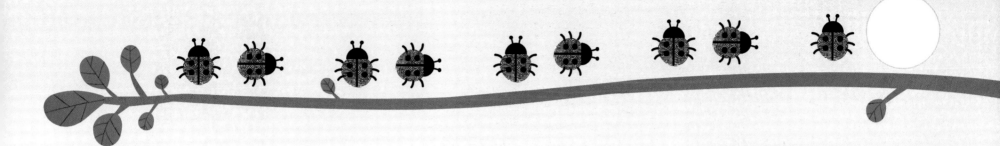

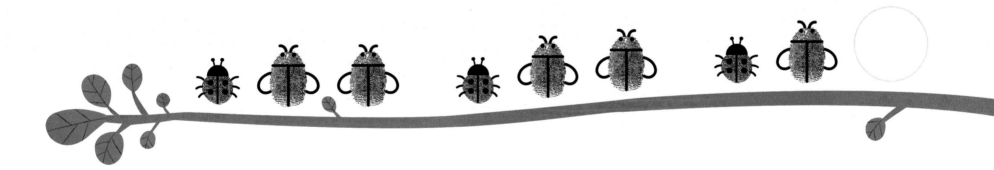

첫 번째, 두 번째, 세 번째 그림을 각각 A, B, C라 할 때, **AB/AAB/ABB/ABA**의 순서로 **방향** 또는 **무당벌레**와 **매미**가 바뀌는 규칙입니다.

12 나무 그루터기에 버섯이 피어 있어요. 다람쥐는 버섯이 좋은지 꼭 안고 있네요.
손도장을 찍어 **버섯**을 그려 보세요.

첫 번째 그림을 A, 두 번째를 B, 세 번째를 C라 할 때, **ABC/ABCC/ABBC/AABC**의 순서로 **색깔**이 변하는 규칙입니다.

13 하얀 눈이 내려요. 눈 쌓인 언덕에서 친구들이 강아지와 신나게 놀고 있어요.
손도장을 찍어 발자국과 강아지를 그려 보세요.

발자국 그리기
1 2

강아지 그리기
1 2 3

엄마는 선생님! 첫 번째 그림을 A, 두 번째 그림을 B, 세 번째 그림을 C라 할 때, **AB/AABB/ABC/ABC**의 순서로 **색깔**이 변하는 규칙입니다.

14 나뭇잎 위를 달팽이가 기어가고 있어요. 목이 말라 이슬을 먹으려나 봐요.
손도장을 찍어 **달팽이**를 그려 보세요.

달팽이 그리기

1 2 3

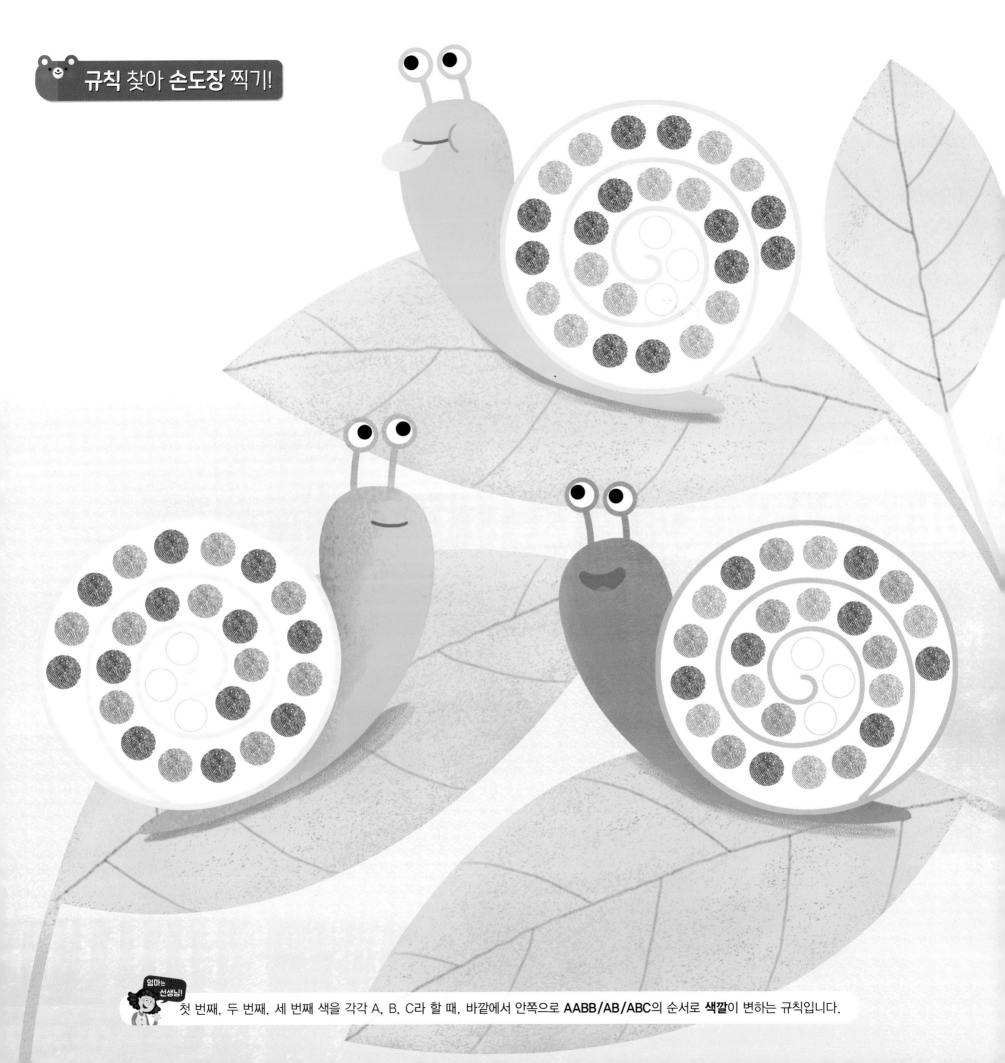

첫 번째, 두 번째, 세 번째 색을 각각 A, B, C라 할 때, 바깥에서 안쪽으로 **AABB/AB/ABC**의 순서로 **색깔**이 변하는 규칙입니다.

15 들판에는 벼가 익어가고 가을 하늘에는 잠자리가 날아다녀요.
손도장을 찍어 **잠자리**를 그려 보세요.

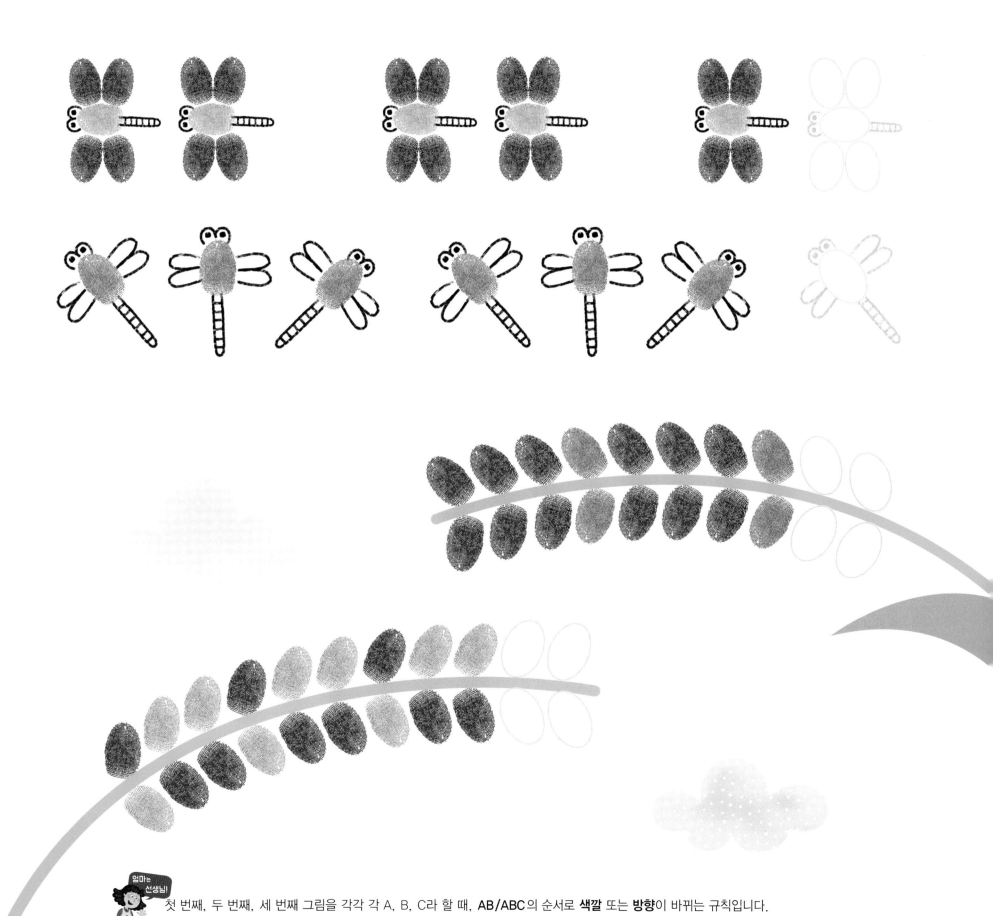

첫 번째, 두 번째, 세 번째 그림을 각각 각 A, B, C라 할 때, **AB/ABC**의 순서로 **색깔** 또는 **방향**이 바뀌는 규칙입니다.

16 과일 가게예요. 마음씨 좋아 보이는 아저씨가 과일을 팔고 계시네요.
손도장을 찍어 **여러 가지 과일을** 그려 보세요.

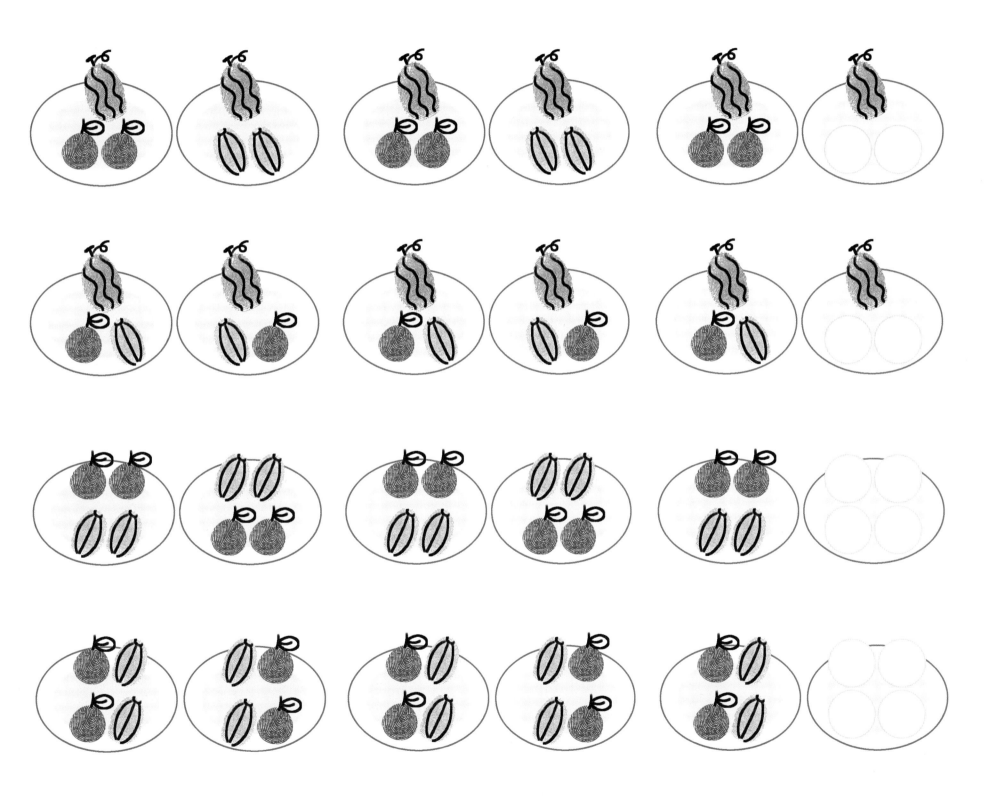

첫 번째 그림을 A, 두 번째 그림을 B라 할 때, **AB/AB/AB/AB**의 순서로 과일의 **위치**가 바뀌는 규칙입니다.

17 아이스크림 가게에 왔어요. 어느 아이스크림을 먹을까요?
손도장을 찍어 **아이스크림을** 그려 보세요.

아이스크림 그리기

1 2 3

ICE CREAM
MENU

₩ 2,500   ₩ 3,800   ₩ 3,500   ₩ 5,400

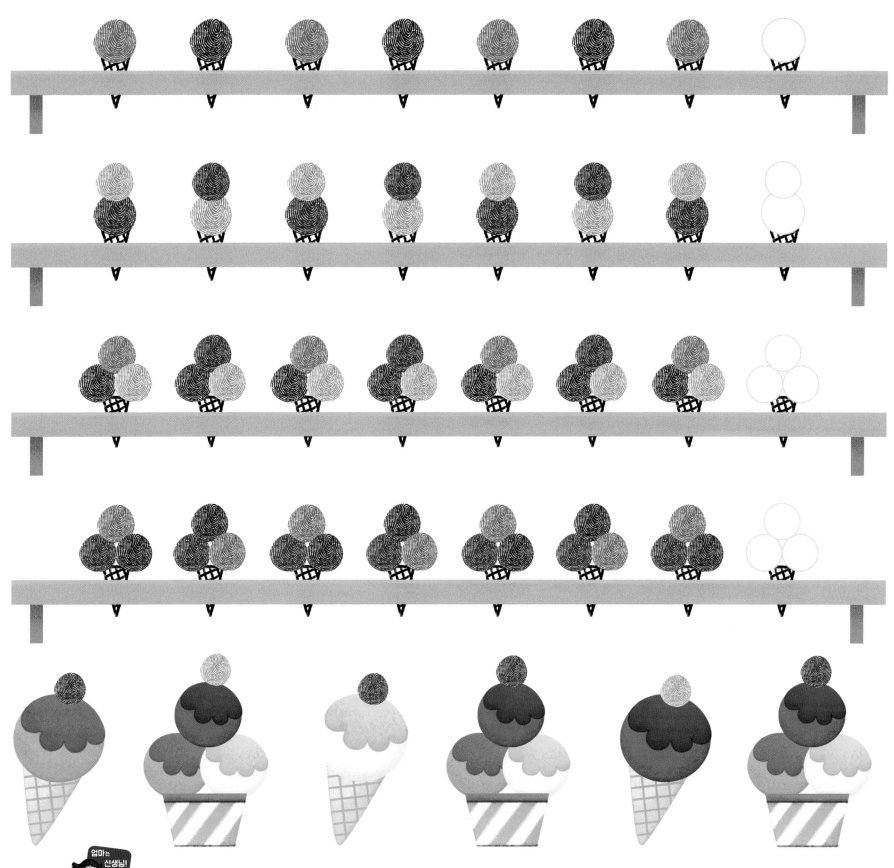

규칙 찾아 손도장 찍기!

첫 번째 그림을 A, 두 번째 그림을 B라 할 때, **AB/AB/AB/AB**의 순서로 **색깔**이 변하는 규칙입니다.

18 작은 기차역이에요. 기차가 연기를 내뿜으며 칙칙폭폭 달려가네요.
손도장을 찍어 **기차**와 **자동차**를 그려 보세요.

기차 그리기

1   2

자동차 그리기

1   2

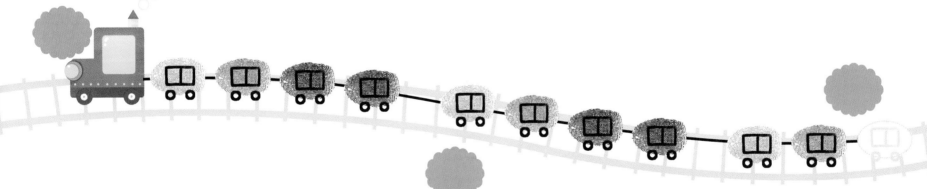

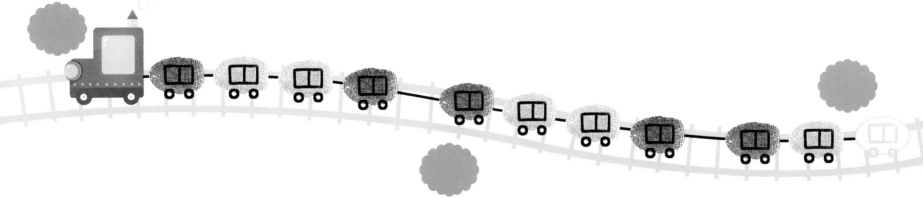

첫 번째 그림부터 차례대로 A, B, C라 할 때, **ABA/ABCC/ABCC/ABBC**의 순서로 **색깔**이 변하는 규칙입니다.

19 나뭇잎에 알록달록 단풍이 들고 있네요.
손도장을 찍어 **나무**를 그리고 커다란 나무도 꾸며 보세요.

나무 그리기

1   2

엄마는 선생님! 첫 번째 그림을 A, 두 번째 그림을 B라 할 때, **AB/AB/AAB/AB**의 순서로 **색깔**이 변하는 규칙입니다.

20 누가 밤새 눈사람을 만들었나 봐요. 친구도 열심히 눈을 굴리고 있네요. 멋진 눈사람이 될 것 같아요.
손도장을 찍어 **눈사람**을 그려 보세요.

눈사람 그리기

1 2 3

첫 번째 그림을 A, 두 번째 그림을 B, 세 번째 그림을 C라 할 때, **AB/AB/ABC/AB**의 순서로 **색깔**이 변하는 규칙입니다.

바닷속에서 물고기들은 헤엄치며 놀고 있고, 바닷가에서 꽃게들은 달리기 시합을 하고 있어요.
손도장을 찍어 **물고기**와 **꽃게**를 그려 보세요.

물고기 그리기

1 2 3

꽃게 그리기

1 2 3

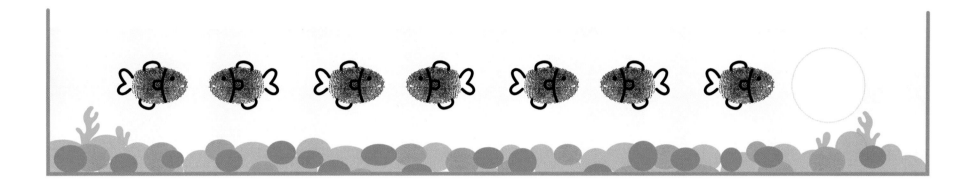

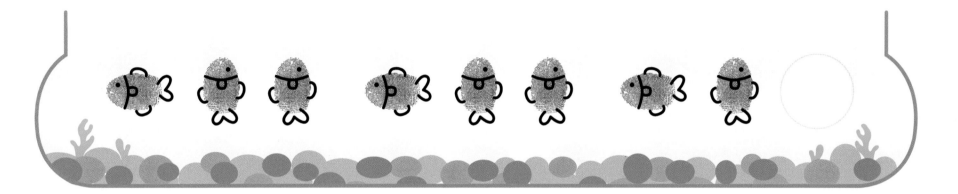

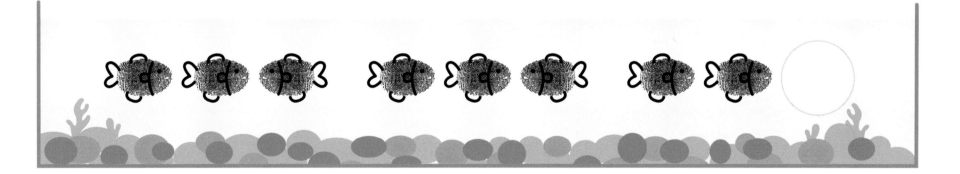

첫 번째 그림을 A, 두 번째를 B, 세 번째를 C라 할 때, **AB/ABB/AAB/ABA**의 순서로 **방향**이 바뀌는 규칙입니다.

나무는 계절마다 다른 옷을 입어요. 손도장을 찍어 나무를 꾸며 보세요.

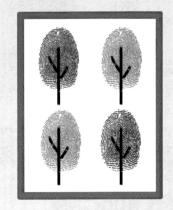
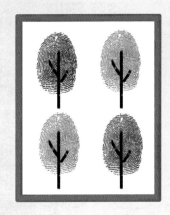
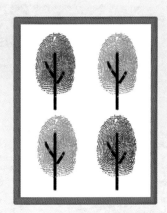
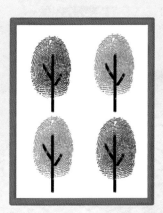

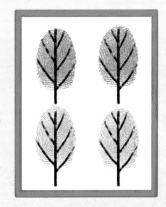

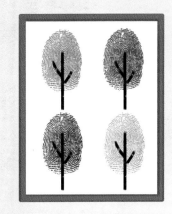
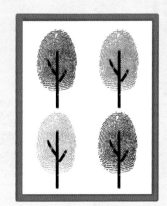

엄마는 선생님! 첫 번째 그림을 A, 두 번째 그림을 B라 할 때, **AB/AB/AB**의 순서로 **위치**가 바뀌는 규칙입니다.

23 전깃줄에 새들이 옹기종기 모여 있어요. 고양이가 담장 위를 살금살금 걸어가고 있네요.
손도장을 찍어 새들을 그려 보세요.

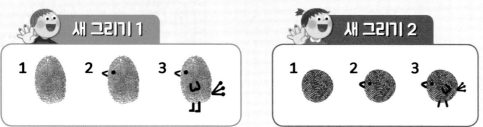

새 그리기 1

1   2   3

새 그리기 2

1   2   3

24 펭귄 마을에 눈이 오네요. 뒤뚱뒤뚱 미끄덩 넘어지기도 해요.
손도장을 찍어 펭귄을 그려 보세요.

펭귄 그리기

1 2 3

첫 번째, 두 번째, 세 번째 그림을 각각 각 A, B, C라 할 때, **ABC/AB**의 순서로 **색깔**이 변하는 규칙 또는 **시계 방향**으로 **회전**하는 규칙입니다.

즐거운 크리스마스예요. 크리스마스 트리 아래에 선물도 있어요.
손도장을 찍어 **크리스마스 트리**를 예쁘게 꾸며 보세요.

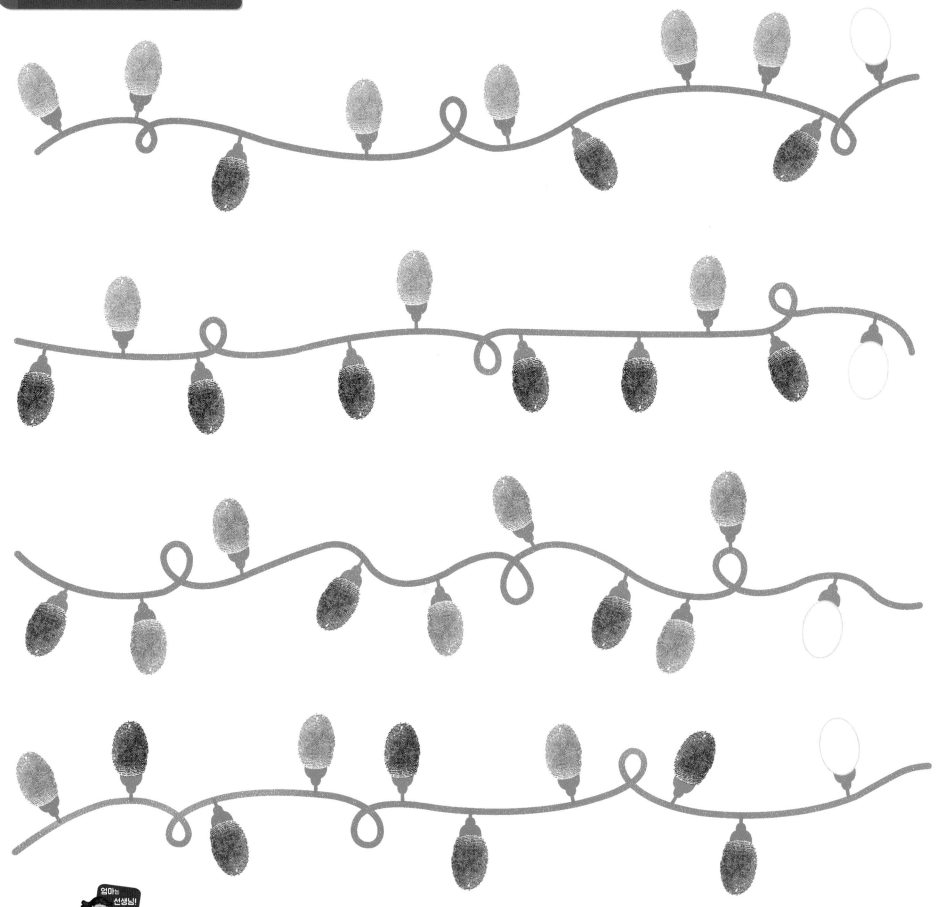

색깔을 차례대로 A, B, C라 할 때, **AAB/ABA/ABB/ABC**의 순서로 **색깔**과 **위치**가 바뀌는 규칙입니다.

26 한 손 가득히 풍선이 있어요. 풍선을 많이 잡으면 하늘로 두둥실 날아오를 것 같아요.
손도장을 찍어 풍선을 그려 보세요.

첫 번째 그림을 A, 두 번째 그림을 B라 할 때, **AB/ABC/AB**의 순서로 **색깔**이 바뀌는 규칙입니다.

27 할로윈 데이예요. 호박으로 만든 등을 들고 유령 분장을 하고 집집마다 다니며 사탕과 초콜릿을 얻기도 하지요. 손도장을 찍어 **호박과 사탕**을 그려 보세요.

호박 그리기
1   2

사탕 그리기
1   2

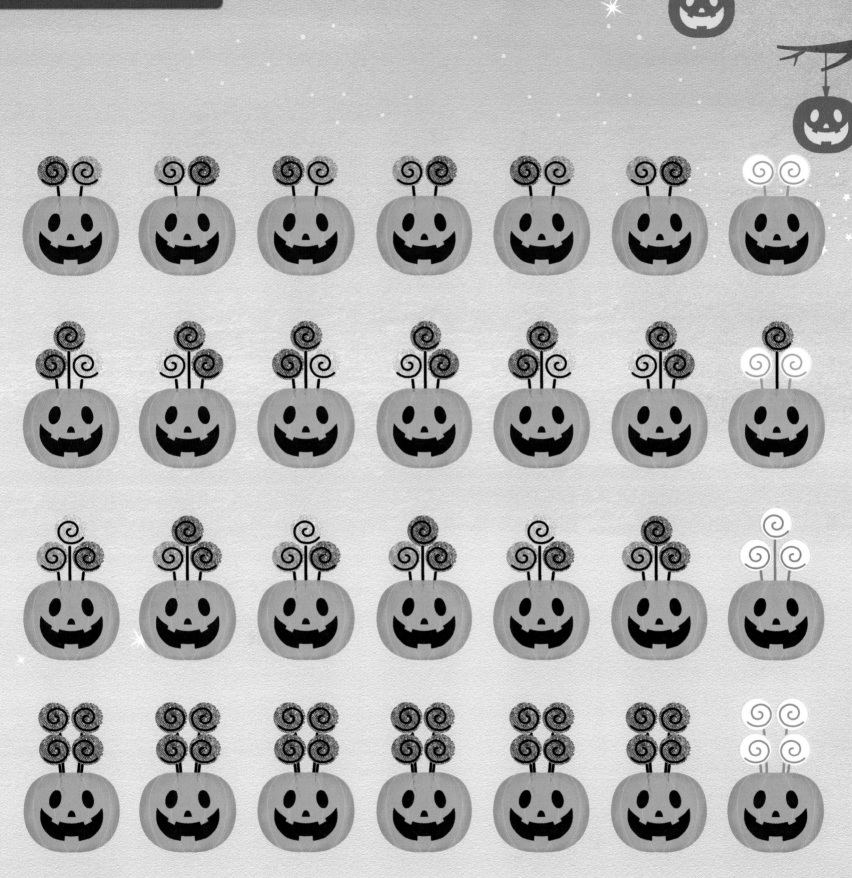

28 스키장이에요. 스키를 타는 사람들도 있고 곤돌라를 타고 스키장을 오르내리는 사람들도 있어요.
손도장을 찍어 곤돌라와 스키 타는 사람을 그려 보세요.

곤돌라 그리기

1 2

스키 타는 사람 그리기

1 2 3

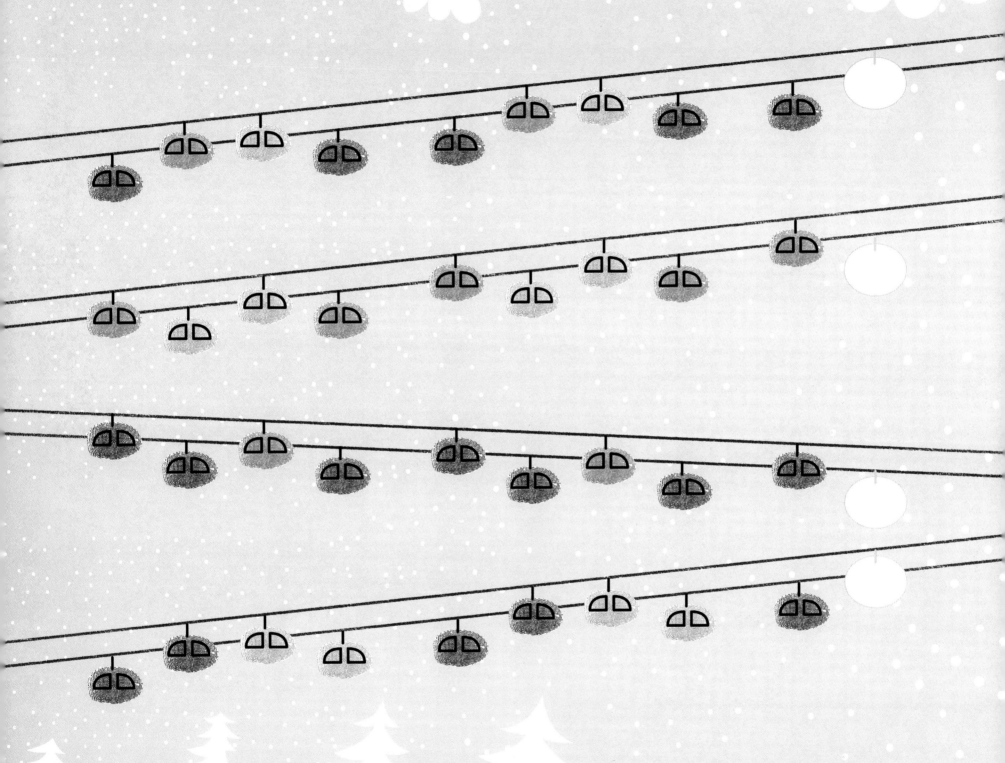

커다란 생일 케이크가 있어요. 누구의 생일일까요? 선물 상자도 많이 있네요.
손도장을 찍어 생일 케이크를 꾸며 보세요.

Happy Birthday!

첫 번째 그림을 A, 두 번째를 B, 세 번째를 C라 할 때, **AB/AB/AB/ABC**의 순서로 **색깔**이 변하는 규칙입니다.

30

낙엽이 하나둘씩 떨어지네요. 다람쥐는 다가오는 겨울에 대비하려고 부지런히 도토리를 모으고 있어요.
손도장을 찍어 다람쥐와 도토리, 밤을 그려 보세요.

다람쥐 그리기

1 2 3

도토리/밤 그리기

1 2 | 1 2

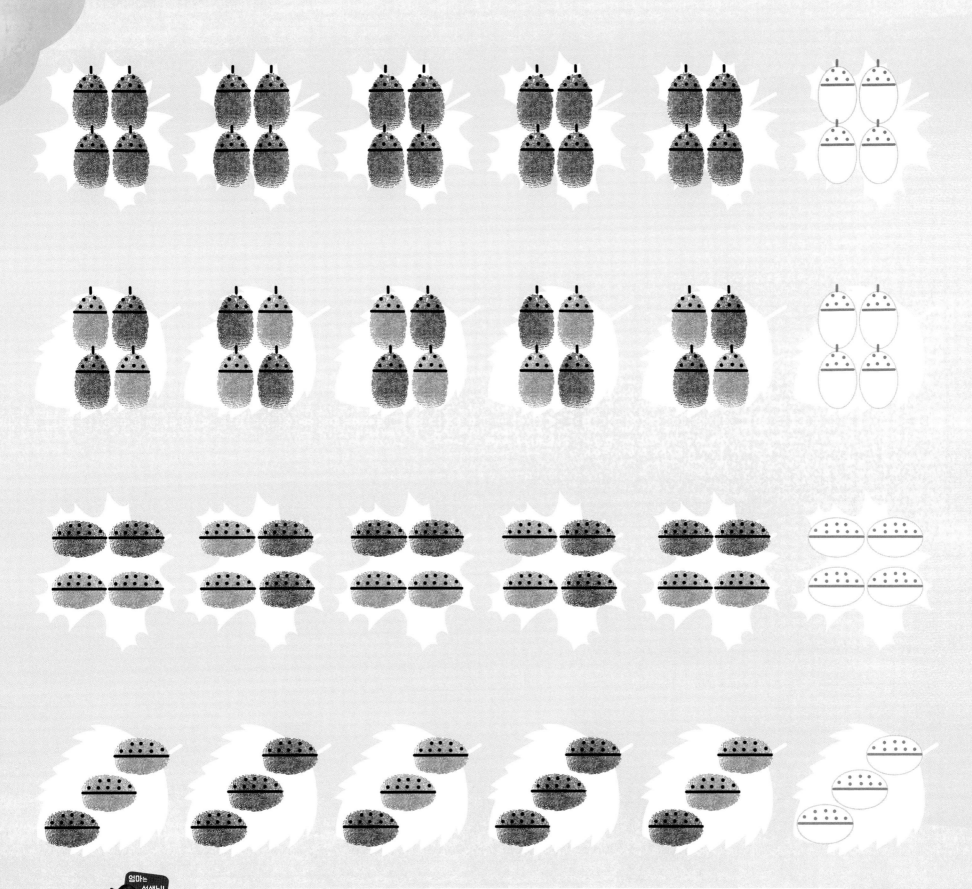

엄마는 선생님!

시계 방향으로 **회전**하는 규칙입니다. 또 첫 번째 그림을 A, 두 번째 그림을 B라 할 때, **AB/AB**의 순서로 **색깔**이 변하는 규칙입니다.

MEMO

*손도장을 잘못 찍었을 경우 붙임딱지를 떼어서 다시 풀어 보세요.